Collection dirigée par Caroline Westberg

ISBN 2-7002-2729-8
ISSN 1142-8252

Une vie de rêve pour Lola

Texte d'Amélie Cantin
Illustrations de Nicolas Julo

RAGEOT•ÉDITEUR

– *Les enfants, crie maman, vous avez encore mis vos doigts sales sur la porte !*

– *Même pas vrai, on répond, la porte, on l'ouvre avec les pieds !*

(Tranche de vie)

Y en a marre !

– Lola, tes coudes !

– Quoi ?

– Tes coudes sur la table !

J'enlève mes coudes en poussant un soupir digne d'une tempête force dix.

Mais maman n'a pas fini :

– Tu as vu de quelle manière tu tiens ta fourchette ? Ce n'est pas une pelle à tarte.

J'en ai marre. Mais vraiment marre. Ma mère est tout le temps sur mon dos. Quand ce n'est pas « Range ta chambre », c'est « Fais tes devoirs ». Je subis les « Mange proprement » et les « Ne mets pas tes chaussures sur le canapé, quand même ! ».

Et je passe les « Enfile ton pull, tu vas avoir froid » et autres « Tu as fait un trou dans ton pantalon neuf ! ».

Pendant ce temps-là, papa donne à manger à mon petit frère Alex. Personne ne lui dit rien, à lui. Il a le visage barbouillé de purée à la carotte, il envoie du lait partout en secouant son biberon, il a arraché son bavoir et éclabousse la chemise de papa d'étoiles orange.

Mais Alex a toutes les excuses, il est tellement mignon quand il babille la bouche pleine ! Pfff, tu parles !

– Lola, ferme ta bouche quand tu manges.

C'est la goutte d'eau. La goutte d'eau qui fait déborder le vase. Je pose ma fourchette et mon couteau dans mon assiette. Un peu brusquement. Gling. Et je me lève.

Ma mère me jette un regard surpris.

– Qu'est-ce qui t'arrive ?

– Je vais prendre l'air !

Je traverse la salle à manger à grandes enjambées et je sors en claquant la porte.

Dans le jardin, je donne un coup de pied dans un malheureux caillou qui se trouvait là. Je l'envoie voler à trois mètres. Tant pis pour lui.

Depuis plusieurs jours, je rêve d'un monde parfait. Un monde où les mamans laisseraient leurs enfants faire **TOUT** ce qu'ils veulent. Mais vraiment tout.

Pendant qu'on y est, dans ce monde-là, les pères seraient comme les mères. Et puis, il n'y aurait pas de petit frère... On serait tellement plus heureux. À l'école, la maîtresse serait cool. Plus besoin de faire ses devoirs, on jouerait toute la journée !

Mais jamais, jamais un tel rêve ne se réalisera !

– J'en ai marre, je suis à bout !
J'en ai marre, marre, marre à
bout !

– Lola, Lola...
Qui m'appelle ?
Maman ?
– Lola, je suis là
et je vais réaliser
ton rêve...
Je lève les yeux.
Une femme haute
comme trois
pommes est assise
sur une branche juste au-dessus
de moi. Elle a une jolie robe rose
et des joues de la même
couleur. Elle ressemble
à quelqu'un que je
connais...

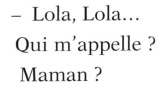

– Tu es prête, Lola ?

– Mais qui êtes-v…

Je n'ai pas le temps de finir ma phrase. Une fumée verte s'élève autour de moi et m'enveloppe…

Un monde parfait

– Hé pousse-toi de là !

Un bolide me fonce dessus. Aïe !

– Attention, me hurle le bolide dans l'oreille.

Je me retourne, un ballon arrive droit sur moi à la vitesse d'un météorite et... m'écrabouille le nez.

Où suis-je ?

– Eh Lola, Lola, tu viens avec nous, on va lancer des cailloux dans le bassin aux poissons rouges ?

Je suis dans mon jardin. Mais ce n'est plus vraiment mon jardin. Émilie et Enora sautent à la corde dans le parterre de cyclamens.

Vincent et Jordan jouent à chat glacé autour de l'hibiscus. Achraf tente un équilibre sur la table en plastique. Philippe, Dimitri et Nadia jettent en l'air des tas de confettis et des serpentins de toutes les couleurs en hurlant de joie !

Ils sont partout. Ils courent, jouent au ballon, lancent des graviers dans le bassin des poissons... Si ma mère voit ça, elle va nous tuer !

– On s'amuse bien, ici ?

– Maman !

Je me retourne vers elle, prête déjà à me défendre d'un : « Je te promets, maman, ce n'est pas ma faute... » Mais c'est inutile.

Elle sourit jusqu'aux oreilles. Elle porte un immense plateau chargé de jus de fruits, d'un échafaudage de choux à la crème et d'une montagne de bonbons.

POUEEET

– Venez vous servir les enfants, lance-t-elle à la ronde.

C'est la phrase magique ! Tous se précipitent.

Émilie attrape un verre de jus de fruit et en renverse la moitié sur Jordan. Vincent engloutit cinq choux à la fois. Et ma mère continue de sourire.

– Je vous laisse le plateau. Et si vous voulez d'autres gâteaux, appelez-moi !

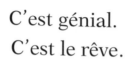

C'est génial.

C'est le rêve.

Je vis dans un monde parfait.

– Eh Lola, tu viens, m'interpelle Vincent, la bouche pleine de choux, on va grimper dans ton hibichcuch...

Je regarde une nouvelle fois autour de moi. Je pioche une poignée de bonbons sur le plateau, je les fourre tous dans ma bouche et je hurle :

– À l'attakch ! Le dernier en haut de l'hibichcuch a perduch !

La fête continue

Tout le monde est parti. Je suis épuisée. Et puis, j'ai mangé tellement de bonbons que je me sens un peu barbouillée. Mais qu'est-ce qu'on a rigolé ! Je traverse le jardin en enjambant les verres abandonnés dans l'herbe.

La pelouse est constellée de confettis et de serpentins. Le ballon est niché au milieu du parterre de cyclamens. Une corde à sauter pend dans un arbre.

Je rentre dans la maison et je m'affale sur le canapé sans enlever mes chaussures.

Papa arrive dans le salon, une cassette vidéo à la main.

– Ça te dirait de regarder un dessin animé, Lola ?

– Mais demain, il y a éc...

Je me mords la lèvre.

Je ne suis pas encore tout à fait habituée à ma nouvelle vie.

— C'est *Les supersorcières contre Godzilla*, ça te va ? propose papa en glissant la cassette dans le magnétoscope.

Ça me va très bien. Cette cassette est tellement géniale que même mon petit frère Alex arrête de bouger et de parler quand on la met.

Sauf qu'avant papa la trouvait trop débile et ne voulait jamais qu'on la regarde.

– Tiens, au fait, il est où Alex ?

Papa s'assoit à côté de moi.

– Alex ? C'est un copain à toi ?

– Non, Alex, mon petit frère !

Papa se retourne en riant.

– Ton petit frère ? Ha ha ha ! Ce que tu peux être drôle Lola ! Bon allez, j'éteins la lumière et je vais chercher le pop-corn, on aura l'impression d'être au cinéma.

Décidément, ma vie est vraiment étonnante.

Une vie de rêve

J'ouvre les yeux. Doucement.

Une délicieuse odeur de tartines grillées et de chocolat chaud me chatouille les narines. Je jette un œil à mon radio-réveil. Dix heures. Dans mon autre vie, l'école commence à neuf heures.

Je me lève et je me dirige vers la cuisine.

– Lola, c'est toi ?

Maman, en robe de chambre, beurre une tartine.

– Tu n'aurais pas dû te lever, ma chérie, me dit-elle en souriant, j'allais t'apporter ton petit déjeuner au lit.

Décidément, cette nouvelle maman est absolument parfaite.

— Tu t'es assoupie avant la fin de ta cassette hier soir. Papa t'a portée dans ton lit. Tu dormais si bien ce matin, que je n'ai pas eu le cœur de te réveiller. Tant pis pour l'école. D'ailleurs, tu vois, j'ai suivi ton exemple. Moi non plus je ne suis pas allée travailler.

Maman suit mon exemple. Ça alors ! En tout cas, elle vient de parler d'école. Dans ce monde l'école existe donc toujours...

Tant mieux ! Rester chez soi pendant que les autres sont coincés derrière leurs bureaux, c'est top !

Mais sont-ils coincés derrière leurs bureaux ?

Si le monde a changé, peut-être que madame Martel, ma maîtresse, a changé aussi…

Hors de question de rater ça !

De la casse dans la classe

Maman m'amène à l'école en voiture. En descendant, je saute dans une énorme flaque d'eau boueuse. C'était trop tentant, surtout que je porte mes baskets blanches.

– Bravo ma chérie ! s'exclame maman en applaudissant.

Puis elle ajoute avant de démarrer :

– Traîne autant que tu veux avec tes copains et tes copines ce soir. Tu sais, les devoirs, ce n'est pas très important !

La cour est vide mais, en m'approchant, j'entends des cris et des rires provenant des salles de classe. Un avion en papier sort d'une fenêtre du rez-de-chaussée, exécute trois loopings et atterrit à mes pieds.

Je me penche pour le ramasser quand Tony, un CM2, saute du rebord de la fenêtre en hurlant :

– Ouais, c'est moi qui ai gagné !

– Non, le mien est allé beaucoup plus loin ! proteste une voix grave.

Monsieur Beaumont, le maître des CM2, saute à son tour dans la cour. Dans mon autre vie, c'était le maître le plus sévère de l'école. Je le reconnais à peine. Il a échangé ses petites lunettes rondes contre des lunettes en forme de cœur, roses à pois jaunes. Et puis ses cheveux ne sont plus plaqués sur son crâne mais dressés comme des baguettes de tambour et couverts de gel à paillettes ! Ça lui va bien.

 J'ai vraiment hâte de voir madame Martel.

Je pousse la porte du couloir. Les vestes traînent par terre à côté des portemanteaux. Je les enjambe pour arriver jusqu'à ma classe. J'entre. Même dans mes plus beaux rêves, je n'avais pas osé espérer ça.

Nadia a entrepris de repeindre le tableau en bleu ciel. Mariam, Jordan et Vincent sont debout sur leurs tables. Apparemment, ils ont organisé le concours du saut le plus haut. Achraf écoute de la musique à fond.

Antonio, les yeux couverts d'un foulard, se déplace dans la classe les bras en avant.

– Je vais vous attraper !

Émilie, Dimitri, Vanessa et madame Martel tournent autour de lui en riant. Près du coin bibliothèque, à genoux, Reynald et Mélodie se concentrent sur leurs billes.

Kahina s'approche de moi et me prend par la main.

– Eh Lola, tu viens faire une partie de foot avec moi ?

Joignant le geste à la parole, elle pose son ballon par terre et shoote de toutes ses forces.

Le ballon décolle et atterrit sur l'étagère du fond de la classe. C'est là que la maîtresse avait posé ma maquette de bateau à vapeur.

Il m'avait fallu une semaine entière pour la fabriquer. Je m'étais donné du mal. Madame Martel m'avait dit qu'elle était fière de moi.

Sous le choc, ma maquette tombe et se brise en mille morceaux.

– Quel tir magnifique ! s'écrie madame Martel.

– Alors tu viens jouer avec moi ? demande encore Kahina.

Je ne sais pas ce que j'ai tout à coup, mais je me sens fatiguée.

– Est-ce que je peux sortir madame, j'ai besoin de prendre l'air...

La maîtresse me regarde avec des yeux ronds. Puis elle éclate de rire :

– Évidemment que tu peux sortir. Tu peux faire TOUT ce que tu veux !

Ah oui, c'est vrai, j'avais oublié.

À malin, malin et demi

Pfffffou ! je me laisse tomber sur le banc sous l'arbre de la cour.

C'est la belle vie, hein ?

On fait tout ce qu'on veut, on ne se fait jamais gronder…

J'ose à peine imaginer ce qui se passe à la crèche de mon petit frère…

Ah, oui, c'est vrai, dans cette vie je n'ai plus de petit frère...

– On rigole bien, Lola, tu ne trouves pas ?

Tiens, qui a parlé ? J'ai l'impression de connaître cette voix.

Je lève les yeux. Une femme haute comme trois pommes est assise sur une branche juste au-dessus de moi. Elle a une jolie robe rose et des joues de la même couleur. C'est la fée qui a réalisé mon rêve !

Et, tout à coup, je sais à qui elle me fait penser. Elle ressemble à ma mère ! Sauf que ma mère n'oserait jamais s'habiller comme ça !

– Est-ce que tu as tout ce que tu veux, Lola ? Est-ce que cette nouvelle vie te convient ?

La fée s'est assise sur le banc à côté de moi.

Je souris.

– Tu parles, c'est génial !

Mais, en prononçant ces mots, je repense tout à coup à ma maquette écrabouillée, à Alex qui me faisait des tas de câlins... je suis bien obligée de reconnaître que cette vie n'a pas que de bons côtés. J'hésite avant d'ajouter :

– Enfin, c'est génial mais... ce ne serait pas possible d'avoir un monde entre celui-ci et celui dans lequel je vivais avant ?

La mini-fée me regarde droit dans les yeux.

– Que veux-tu dire ?

– Un monde où ma mère ne me gronderait pas mais où elle irait travailler, un monde avec un petit frère moins casse-pieds que le mien, un monde avec une maîtresse...

– Je vois, je vois... soupire un peu tristement la fée riquiqui.

Mais très vite, ses yeux s'illuminent à nouveau.

– Je pense que je peux réaliser ton vœu, commence-t-elle.

– Ce serait méga-top-super-fantastique !

– Je vais t'envoyer dans un monde où ta mère ne te demandera pas de ranger ta chambre, ne te dira pas de manger proprement, où ton petit frère ne hurlera pas, où ta maîtresse te dira que tu travailles très bien… à condition que tu ranges ta chambre, que tu n'embêtes pas ton petit frère, que tu te tiennes bien à table et que tu fasses tes devoirs...

– Quoi ? Qu'est-ce que tu dis ?

Elle a prononcé les derniers mots si vite et si bas que je n'ai rien entendu.

– Alors tu es d'accord ? me demande la fée.

Évidemment que je suis d'accord. Ce nouveau monde sera vraiment PARFAIT !

Mais je me demande pourquoi la fée me regarde avec ce petit air moqueur...